Pour Louise

© Gallimard Jeunesse / Giboulées, 2011
Sous la direction de Colline Faure-Poirée
Conception graphique : Christophe Hermellin

Dépôt légal : mars 2011 • ISBN : 978-2-07-069662-8 • N° d'édition : 178601
Loi n° 49-956 du 16 juillet 1949 sur les publications destinées à la jeunesses • Imprimé en Italie
Le papier de cet ouvrage est composé de fibres naturelles, renouvelables, recyclables et fabriquées à partir
de bois provenant de forêts plantées et cultivées expressément pour la fabrication de la pâte à papier.

André Bouchard

LA MENSONGITE GALOPANTE

GALLIMARD JEUNESSE GIBOULÉES

Chapitre 1

Honoré Aubenard devint milliardaire en déterrant un poireau. « Diantre ! » s'exclama-t-il devant le formidable jet de pétrole surgissant des entrailles de la terre. Propriétaire de son modeste jardin potager, il devint rapidement l'un des hommes les plus riches du monde. Sous chaque poireau, chaque patate, chaque radis, le pétrole jaillissait.

Mais ce n'est pas tout ! Honoré Aubenard fut également soldat de Napoléon ! Vous connaissez certainement la fameuse bataille de Marignan ? Celle qui opposa les troupes de l'Empereur aux Wisigoths ? Eh bien, il y était !

Seul contre mille, après quatre jours de lutte acharnée, son redoutable sabre se brisa sur le triple blindage d'un char d'assaut.

Vif comme l'éclair, il sauta du char et bondit vers une poêle à châtaignes posée sur un feu de camp. Il répandit tout son or dans la poêle chauffée à blanc et balança ce trésor aux pieds de ses ennemis.

Les Wisigoths se ruèrent sur les pièces d'or et détalèrent aussitôt dans tous les sens, soufflant comme des imbéciles sur leurs mains brûlées !

Honoré Aubenard savourait sa victoire, lorsqu'un bombardier parachuta un nouvel escadron. Un Wisigoth dégringola sur lui et bing ! Il le reçut en plein dans l'œil, cheval y compris.

Chapitre 2

Et voilà comment mon oncle milliardaire a perdu son œil! dis-je aux copains.

— Il doit porter un bandeau comme les pirates, alors? lance Anatole.

— Non, il a un œil de verre! Un œil de verre en diamant!

— Ouaah! font Louise, Anatole, Lucien et Vincent en chœur.

— Tu nous le présentes quand, ton super tonton? dit Lucien.

— Tu le verras mardi, il a promis de venir me chercher à l'école!

Aïe! je regrette aussitôt ma phrase.

Je sais pertinemment que mon oncle ne viendra pas mardi, ni un autre jour d'ailleurs. J'ai un mot d'excuses tout prêt pour lui: mon tonton est un mensonge, un super méga mensonge! Signé: Adrien Tricot.

Chapitre 3

Bien entendu, il faut trouver une autre excuse pour les copains. « Qu'est-ce qui pourrait bien empêcher mon oncle de venir mardi ? » je marche, tête baissée, pour mieux réfléchir à cette question, lorsqu'une voix tonitruante retentit devant moi :

— Sacrebleu ! C'est bien toi, Adrien ?

Je lève la tête et je m'écrie :

— Tonton !

Ça alors ! Mon mensonge ! Mon mensonge en train de se promener en chair et en os dans la rue !

J'ai besoin de me poser sur un banc, mes jambes sont toutes flageolantes.

Les yeux ronds, la bouche ouverte, j'ai l'air d'un poisson rouge sorti de son bocal, lorsqu'il me confie d'un air songeur :

— Mais, comment un mensonge peut-il être réel ?

— Je ne sais pas, tonton, mais je trouve ça génial que tu existes !

— Euh... Tu veux certainement dire que TU existes.

Que peut-il bien vouloir dire par « TU existes », il est bizarre cet oncle.

— Tonton, tu es bien MON mensonge ?

De mon point de vue mon petit Adrien, tu es plutôt MON mensonge. J'avais bien compris la première fois !

— Mais c'est impossible, je suis Adrien Tricot, fils de Gilbert et Manon Tricot, j'existe pour de vrai ! J'ai raconté un mensonge aux copains pour me rendre intéressant et ce mensonge, c'est TOI !

— Je suis Honoré Aubenard, multimilliardaire et ancien soldat de l'empereur Napoléon. Je souffrais beaucoup de ne pas avoir de famille, alors j'ai dit à mes amis milliardaires que j'avais un neveu. C'était bien évidemment un mensonge et ce mensonge, c'est TOI !

Tout s'embrouille dans ma tête.

« Lequel d'entre nous est réel ? Lequel est un mensonge ? »

Je me lève soudain en disant rouge de colère :

— Je suis réel, tu n'existes pas ! Voilà !

Il se lève à son tour en maintenant le contraire. Le ton monte, chacun accusant l'autre d'être un mensonge.

Chapitre 4

L'oncle Honoré s'est invité chez moi. Il inspecte les lieux, curieux de tout.

— Où sont les domestiques pour déballer mes affaires ? fait-il en désignant une gigantesque malle.

Pensant le décourager, je réplique d'un ton sec :

— Il n'y en a pas.

— Ce n'est rien, Diogène mon fidèle majordome va s'occuper de tout.

Honoré ouvre la malle et parle, comme s'il s'adressait à ses chaussettes ou à ses chemises :

— Diogène, pouvez-vous venir un moment, je vous prie ?

Derrière le rideau des costumes jaillit aussitôt un homme en smoking et gants blancs avec une tête de chien, de bon et brave chien obéissant.

— Diogène, amenez-moi ma veste d'intérieur, mes chaussons byzantins et préparez-nous le dîner.

— Ouah ! Ouah ! Ouah ! fait Diogène.

— Excellente suggestion, Diogène ! Le gaspacho de tomates bleues en entrée, suivi de langues d'antilopes du Kazakhstan ! Ah ! Et n'oubliez pas le vin de pamplemousse.

Je regarde de travers cet étrange personnage. Je n'ai jamais inventé ce domestique loufoque, il ne fait pas partie de mon mensonge ! Mon mensonge existerait-il vraiment ? Et moi, ne serais-je qu'un mensonge ?

— Quand arrivent tes parents ? J'ai hâte de faire leur connaissance ! Ah ! Quelle joie d'avoir une famille ! jubile Honoré.

Chapitre 5

À mon grand étonnement, mes parents ont accepté à leur table cet oncle et son curieux serviteur sans faire de difficulté ni poser de questions.

— Chers parents ! Quel bonheur de vous rencontrer enfin !

— Excusez-moi, mon cher... mon cher, euh... fait Papa.

— Honoré, Honoré Aubenard !

— Mon cher Honoré, de quelle branche de la famille provenez-vous ?

— De l'arrière, arrière-grand-mère de la cousine du grand-oncle du père de la mère de votre fils. Vous le voyez, nous sommes des parents éloignés.

Depuis une bonne heure, Honoré raconte sa vie exactement comme je l'ai imaginée, lorsque Maman tique sur un point de détail que j'ignorais.

— Excusez-moi, cher cousin, mais l'empereur Napoléon est mort depuis plus d'un siècle maintenant.

— Vous plaisantez, chère nièce, ou vous êtes très mal renseignée. J'ai disputé une partie de belote avec l'empereur pas plus tard que la semaine dernière.

— Permettez-moi d'en douter, cher beau-frère, Napoléon est mort à Sainte-Hélène en 1821 ! corrige Papa.

Chapitre 6

Sans un mot, Honoré se lève de table et compose un numéro sur son téléphone en or.

— Bonsoir, cher ami, cela vous dirait-il de venir disputer une petite « belote à quatre » ce soir ? Parfait, voici l'adresse : 18, boulevard Marengo. Il raccroche son téléphone et ajoute : Il arrive !

— Qui arrive ? demande Papa qui ne comprend pas ce qui arrive justement. Honoré se dirige vers la fenêtre, ouvre les rideaux et demande à mes parents d'approcher.

Dominant les toits des voitures, comme un navire voguant sur un fleuve de métal, un carrosse tiré par quatre chevaux s'arrête brusquement devant l'entrée de l'immeuble. Un valet ouvre dignement la portière et l'empereur Napoléon, en personne, déboule au pas de course.

— Lui ! répond enfin Honoré.

— C'est parti pour une belote ! fait mon père en se frottant les mains.

— Il serait préférable de coucher Adrien, l'Empereur ne supporterait pas qu'un gamin tourne autour de lui pendant qu'il joue, ajoute Honoré.

« Non mais, pour qui se prend-il, ce mensonge ? Pour quelqu'un peut-être ? » je rumine dans ma barbe en allant me coucher.

Chapitre 7

Ils sont charmants les amis de ton oncle et si pittoresques dans leurs déguisements, surtout monsieur Diogène avec son masque de chien, ça nous change des collègues de bureau de ton père. Nous avons passé une magnifique soirée ! me confie Maman le lendemain matin.

Pendant le petit déjeuner, je n'ai qu'une idée en tête : « Comment me débarrasser d'Honoré ? »

Mais, à la porte de l'école, qui est là dans son bel uniforme ? Honoré, le pot de colle ! Il me balance un clin d'œil en diamant, puis il s'éloigne à grandes enjambées.

— Ouaah ! Génial ton oncle ! L'uniforme, l'œil de verre en diamant, tout comme tu nous l'avais dit ! s'exclame Vincent dans la cour de récré.

— Ouais ! Il nous a promis une balade dans son hélicoptère personnel !

— Il paraît qu'il y a une salle de cinéma dedans !

— Et une piscine !

— Il vole à l'énergie solaire grâce aux milliers de diamants qui le recouvrent !

— Ouais ! Il fonce super vite en plus !

— Ah ! Oui. L'hélico de tonton. Il est chouette ! C'est tout ce que je trouve à dire.

Chapitre 8

Mon mensonge est décidément incontrôlable ! Il apparaît quand et où il veut et, comme si ça ne suffisait pas, mon mensonge ment.

Il vient d'inventer l'hélico solaire, tout seul, sans mon aide ! Voilà qu'il me prend la vedette auprès des copains.

Il faut que je reprenne le contrôle de cet énergumène ! C'est MOI le menteur, pas lui ! Je décide donc d'inventer un nouveau mensonge pour le court-circuiter !

— Voilà les gars, je vous ai menti. Mon oncle n'est pas milliardaire, la seule fois où il a possédé de l'argent c'est quand il a gagné au Monopoly. Son œil, il ne l'a pas perdu à la guerre, mais en apprenant à tricoter. Il est atteint d'une grave maladie: LA MENSONGITE GALOPANTE !

— C'est quoi comme maladie ? Jamais entendu parler, dit Louise.

— C'est quand tu ne peux pas t'empêcher de mentir et en plus c'est super contagieux !

Je n'avais pas prévu de faire un tel effet. Il y eut un grand silence autour de moi, puis tout le monde prit la parole en même temps.

— C'est qu'il m'arrive de mentir, à moi aussi. Tu crois que ça voudrait dire que j'ai la maladie ?

— Moi tout pareil, je mens tout le temps ! Je suis sûr que j'ai la menson-génite palpitante !

— Moi aussi, je l'ai attrapée ! Tiens, pas plus tard que tout à l'heure, je vous ai dit que j'avais PAS triché aux billes, eh ben, c'était pas vrai, j'avais triché !

Voilà que tous les copains avouent leurs mensonges à tour de rôle.

Il y en a des petits, des gros et aussi des énormes.

— On est tous malades ! Sauf toi Adrien ! Tu es le seul à dire la vérité !

Flûte, alors ! Mon dernier mensonge est une véritable catastrophe !

Maintenant, c'est au tour des copains de me prendre la vedette.

Ce sont eux les menteurs et moi, le banal diseur de vérité !

Chapitre 9

Puisqu'ils veulent que je dise la vérité, eh bien, ils vont l'entendre, la vérité, la Vérité avec un grand « V » !

— Écoutez les amis, Honoré Aubenard n'existe pas, pas plus que la mensongite galopante ! Le plus grand menteur d'entre nous, c'est moi ! J'ai tout inventé !

Et je leur raconte toute l'histoire depuis le début

— Ha ! Ha ! Ha ! Hi ! Hi ! Hi ! Hi ! Hu ! Hu ! Hu ! Mon pauvre Adrien, tu es un bien mauvais menteur !

— Ton histoire de mensonge qui devient vrai, c'est impossible.

— Personne ne peut croire un mensonge aussi ridicule, se gondolent de rire les copains.

— Mais pourtant, j'insiste, indigné.

— Allons, Adrien, tu n'as aucun don pour raconter un mensonge, voilà tout.

— Ne te plains pas, t'as pas choppé la mensongélatine urticante, comme nous et ton oncle !

— Ha ! Ha ! Ha !

— Hi! Hi! Hi! Hi!

— Hu! Hu! Hu! Ha! Ha! Ha!

— Hu! Hu! Hu!

— Ouaaaaah, ha, ha.

— Rrr, rr, rr, rrri, ri, rrri, riri,ri! Roooo, hoo, ho, ho!

— Raaaha ha! Hé, hé, héééé hé, hé!

— Ouuuillouillaille, ah, ah! Aïe, aïe!

— Pfffff! pfff! pffff, pffrrrr! Rrrri rrrri rrri ri ri! Ri ri! Yiii! Hi! Hi, hi!

— Rooooooh, Ho, Ho Ho! Oyohyoh, yoh!

— Hou! Hoouuu, hou, hou, hou, hou!

C'est terrible, je suis le seul à dire la vérité maintenant... Peut-être le seul au monde!

Chapitre 10

Ah! Non. Non, non et non, c'est injuste, je n'arrête pas de mentir et personne ne me croit! Après tout le mal que je me suis donné pour mettre au point ce mensonge, me voilà bien mal récompensé!

Comment vous prouver ma bonne foi de menteur?
L'histoire que je viens de vous raconter, vous y avez cru, n'est-ce pas?
Pourtant, elle est bidon de A à Z, je l'ai inventée de toutes pièces!

Vous ne me croyez pas? Eh bien, voici la vérité vraie, vous allez savoir ce qui s'est réellement passé... Parole de menteur!

Chapitre 11

Vous vous souvenez de ma première rencontre avec l'oncle Honoré dans la rue? Nous sommes assis sur un banc, il vient de me dire que je suis son mensonge et j'éclate de colère: « Je suis réel, tu n'existes pas! » Il se fâche à son tour en maintenant le contraire:

— Je vais te prouver moi, que je suis bien réel!

Il m'empoigne par la main et fonce au pas de charge jusque chez Goldmund and Narcisse, le plus grand bijoutier de la ville. Il retire son œil en diamant et se dirige droit sur un vendeur:

— Quelle est la valeur de cette pierre, je vous prie?

— C'est une très belle pierre! Personnellement je n'ai jamais vu un aussi gros diamant! Si vous voulez le vendre, voilà le prix que je vous propose, dit le bijoutier en gribouillant sur un papier une suite interminable de chiffres avec le signe euro à la fin.

— Tu vois, c'est pas du toc, c'est du vrai! fanfaronne Honoré en remettant son faux œil en place sous le regard dégoûté du vendeur.

À mon tour d'épater le bijoutier ! Je lui fais miroiter la superbe bague inca en or incrustée de rubis, d'émeraudes et de diamants que j'ai trouvée au fond d'un paquet de céréales Crounchoc.

— Combien de millions vaut cette bague ?

Il jette un coup d'œil méprisant à mon bijou et annonce :

— C'est une pâle imitation, un faux grossier. J'en donnerai un bouton de culotte.

Je suis effondré ! Ma bague est fausse, voilà la preuve que mon oncle a raison ! Je suis faux comme ma bague inca ! Le mensonge, c'est pas lui, c'est moi !

Chapitre 12

Je n'ai pas dormi de la nuit à cause d'Honoré Aubenard ! Alors pendant la récré, je décide de dire toute la vérité au Binoclard !

Le Binoclard est un original qui fait exactement l'inverse de la plupart d'entre nous : il écoute ce qu'on lui dit et il réfléchit avant de répondre.

— Binoclard, faut qu'tu m'sortes de ce mauvais pas, je lui dis.

— J'vais voir c'que j'peux faire, il me répond.

Et je raconte tout au Binoclard...

— Si j'ai bien compris, tu es un menteur qui a fait un vrai mensonge qui ment !

— Euh ! Mmm'oui, je crois que c'est ça ! Tu peux répéter, steup'lait ?

— Eh bien, moi, je ne sais pas si tu es un véritable menteur ou un authentique mensonge, mais je suis sûr d'une chose, c'est que tu es complètement fou. Salut bien ton oncle de la part de Napoléon ! dis le Binoclard, vexé, pensant que je me moque de lui.

Peut-être a-t-il raison, je suis fou ! Fou comme le voisin de tonton Hubert qui se prend pour... qui se prend pour...

QUI SE PREND POUR NAPOLÉON !

Chapitre 13

En sortant de l'école, j'essaie de cacher tant bien que mal le rictus qui se dessine sur mon visage. Le piège que je prépare au multimilliardaire, alias le roi des Embrouilleurs est tout bonnement méphistophélique !

Je m'apprête à ouvrir la porte de mon immeuble, lorsque la grosse voix d'Honoré tonne depuis le trottoir d'en face :

— Cher neveu, comment vas-tu depuis la dernière fois ?

— Yoooho ! Honoré ! Je n'ai pas le temps de discuter, j'ai un rendez-vous avec quelqu'un de très important ! je lui réponds en criant de mon côté du trottoir, et hop ! je referme la porte derrière moi.

J'espère qu'il va mordre à l'hameçon, car j'ai bien l'intention de piéger ce farceur. Je vais lui apprendre, moi, lequel de nous deux dit la vérité ! Je veux dire lequel d'entre nous est un véritable menteur... Enfin, lequel est... Ouyouille, ma tête !

Je m'empare du téléphone, compose le numéro. « tûûût... tûûût... ». Ça sonne !

— Allô ! Tonton Hubert ? C'est Adrien, je peux passer chez toi aujourd'hui ?... C'est gagné ! Je raccroche, il m'attend !

Tonton Hubert habite Champigny-sur-Orge. Il est le meilleur joueur de pétanque de son quartier. Forcément, c'est moins spectaculaire qu'aventurier milliardaire.

Je descends quatre à quatre les escaliers et, une fois dans la rue, je me dirige vers la gare au pas de course.

Je jette un coup d'œil furtif derrière moi, le faux tonton me suit !
Le train roule vers la banlieue où habite Tonton Hubert. Je guette
Honoré qui s'est installé dans un autre wagon. De temps en temps,
je vois les éclats de lumière qui jaillissent de son diamant.

Chapitre 14

Tonton Hubert vit dans une petite maison avec un petit jardin qu'il entretient avec amour et patience depuis des années.

Collée à sa maison, il y a la copie exacte de la maison de tonton avec un petit jardin dans lequel rien ne pousse, à l'exception d'un prunier rachitique qui refuse obstinément de donner un seul fruit.

Sur la terre battue trône un très ancien canon qui lance des boulets très lourds, très noirs.

Les deux petites maisons sont cernées de grands immeubles qui se dressent dans le ciel, comme un giga château fort !

Chapitre 15

Je pointe mon doigt vers la sonnette, quand Honoré, croyant me surprendre, murmure dans mon dos :

— Quelle est cette personne si importante avec laquelle tu as rendez-vous, Adrien ?

— Tu vas le savoir dans un instant, Tonton.

Je sonne, re-sonne et re-re-sonne.

Apparaît la trogne grincheuse de monsieur Parefeux. Long manteau, uniforme et bottes de cavalier, son drôle de chapeau sur la tête, c'est le portrait de l'empereur Napoléon.

— Bonjour, monsieur Napoléon, connaissez-vous mon oncle Honoré Aubenard ?

— Nan ! À quel bataillon appartenez-vous, mon petit ?

— Eh bien, euh... Votre Empereur, euh... C'est-à-dire que... je... j'ai combattu à Marignan, mon général ! bafouille Honoré au garde-à-vous.

— Ne sois pas timide mon gars, entre donc nous évoquerons nos vieux souvenirs de guerre !

Ça marche ! L'oncle prend monsieur Parefeux pour Napoléon ! Ce qui prouve qu'Honoré Aubenard n'a jamais vu le vrai Napoléon ! Il est donc bien MON mensonge !

— À t'à l'heure, m'sieur Napo, amuse-toi bien, Tonton Honoré !

Devant tant de familiarité, Tonton Honoré se raidit dans son bel uniforme avant de pénétrer dans la maison de monsieur Parefeux.

Chapitre 16

Je sonne ensuite chez Tonton Hubert qui m'attend pour goûter dans son jardin. Tonton souffle sur son thé brûlant pendant que je sirote mon chocolat au lait, lorsqu'on entend hurler depuis le jardin d'à côté : Alaaaaaaarme !

Tonton se lève et regarde par-dessus la haie :

— Que se passe-t-il, m'sieur Parefeux ? Euh... je veux dire, m'sieur Napoléon.

— C'est la guerre ! Nous sommes encerclés par des milliers de Wisigoths. Mon fidèle grognard et moi, on va en faire de la chair à pâté !

Debout sur une chaise, je vois Honoré et monsieur Parefeux bourrer de poudre le canon, prendre un boulet, le jeter dans le canon et l'orienter vers les tours pleines de milliers de voisins.

— Pièce d'artillerie parée, mon général ! hurle Honoré dans un claquement de talons.

— Hé ! Ho ! Que faites-vous tous les deux ? Arrêtez tout de suite ! s'inquiète Tonton Hubert.

— Délogeons ces lâches retranchés dans leurs forteresses ! Ouvrez le feu et sus aux Visigoths ! commande monsieur Parefeux.

Soudain, une énorme explosion me projette de ma chaise jusqu'au fond du jardin.

Chapitre 17

Tu n'es pas blessé ? me demande Tonton Hubert sans sa perruque.

— Tout va bien, Tonton !

On fonce chez le voisin en traversant un énorme nuage de fumée grise.

— Le canon a explosé en mille morceaux, s'écrie Tonton.

— Dans les mille morceaux, tu peux compter ceux d'Honoré et de monsieur Parefeux, ajouté-je en ramassant ce qui reste d'Honoré Aubenard.

— Tiens, c'est pour toi, dis-je à Tonton Hubert en lui tendant l'œil de verre en diamant.

— Mazette, quel caillou ! s'exclame Tonton.

En fin de compte, je ne mentais pas en disant que j'avais un oncle milliardaire !

Chapitre 18

C'est aujourd'hui mardi et l'oncle Honoré Aubenard n'est pas au rendez-vous.

— Il est où, ton super tonton? demande Vincent.

— Il est... Enfin il n'est pas, euh... Il ne viendra pas.

— Ah bon? dit Louise, d'un air déçu.

— Je t'avais pas dit qu'il avait un lion apprivoisé?

— Euh... Je sais pas...

— C'est un lion très doux, très câlin. Mais c'est un lion quand même. Eh bien, il a voulu mangé mon oncle au petit déjeuner !

— Nooon !

— Du coup, Tonton a pris peur et il s'est enfui en hélicoptère.

— Oh zut ! Et le lion, il a essayé de te manger aussi ?

— Bien sûr ! Alors, j'ai dit avec fermeté: Richard, tiens-toi bien à table ! et il a filé doux.

— Ouaah ! font Louise, Anatole, Lucien et Vincent en chœur.

— Par prudence, je lui ai refilé cinquante tartines de beurre-entrecôte-confiture avec son thé au jasmin.